# 개구리와 두꺼비의 하루하루

아놀드 로벨 글·그림/엄혜숙 옮김

난 책 읽기가 좋아

비룡소

**아놀드 로벨**

1933년 미국 로스앤젤레스에서 태어나 브루클린의 플랫 인스티튜트에서 공부했다.
〈우화들〉과 〈개구리와 두꺼비는 친구〉로 칼데콧 상을 받았고 〈개구리와 두꺼비가 함께〉
〈개구리와 두꺼비의 하루하루〉〈개구리와 두꺼비의 사계절〉〈생쥐 수프〉〈생쥐 이야기〉
〈집에 있는 올빼미〉〈코끼리 아저씨〉등을 쓰고 그렸다.

**엄혜숙**

연세대학교 독어독문학과를 졸업하고 같은 학교 대학원에서 국문학을 공부했다.
엮고 번역한 책으로는 〈개구리와 두꺼비가 함께〉〈개구리와 두꺼비의 하루하루〉
〈개구리와 두꺼비의 사계절〉〈개구리와 두꺼비는 친구〉〈개 한 마리 갖고 싶어요〉
〈아기돼지와 민들레〉〈난 집을 나가 버릴 테야〉 등이 있다.

# 개구리와 두꺼비의 하루하루

1판 1쇄 펴냄—1996년 8월 15일. 1판 9쇄 펴냄—2000년 3월 7일 자은이 아놀드 로벨 옮긴이 엄혜숙
펴낸이 박상희 펴낸곳 (주)비룡소 출판등록 1994. 3. 17. (제16-849호) 주소 135-120 서울 강남구 신사동 506
강남출판문화센터 5층 전화 영업(통신판매) 515-2000(내선 1) 팩스 515-2007 편집 3443-4318~9

DAYS WITH FROG AND TOAD by Arnold Lobel. Copyright ⓒ Arnold Lobel, 1979. Korean
Translation Copyright ⓒ 1996 by BIR Publishing Co., Ltd. Korean edition is published by arrangement
with HarperCollins Childreen's Books a division of HarperCollins Publishers through Imprima Korea.

이 책의 한국어판 저작권은 Imprima Korea를 통해 HarperCollins Publishers 계열인 HarperCollins
Childreen's Books와 독점 계약한 (주)비룡소에 있습니다.
이 책은 저작권법에 따라 한국에서 보호받는 저작물이므로, 무단 전재와 무단 복제를 금합니다.

ISBN 89-491-6002-1 74840
ISBN 89-491-6000-5(세트)

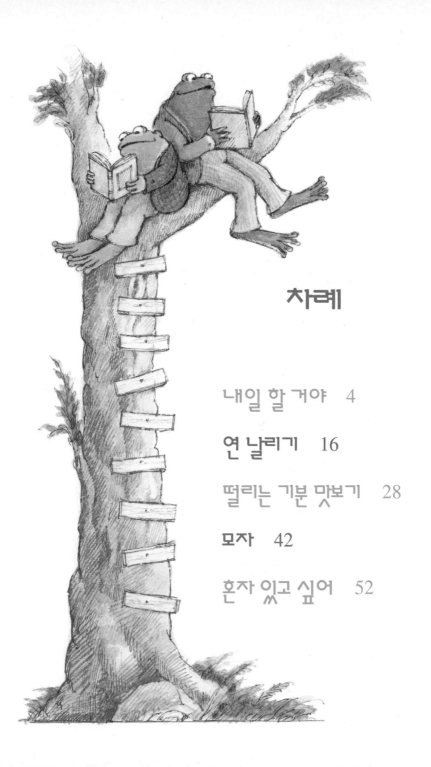

# 차례

# 내일 할 거야

두꺼비가 아침에 일어나 말했어요.

"아이쿠! 집 안이 엉망진창이다.

할 일이 태산 같구나."

개구리가 창문으로

들여다보며 말했어요.

"두껍아, 네 말이 맞아.

정말 엉망진창이다."

두꺼비는 이불을

머리끝까지 올려썼어요.

"내일 치워야겠어.

오늘은 편히 쉴래."

하고 두꺼비가 말했지요.

개구리가 집 안으로 들어왔어요.

"두껍아, 네 바지하고

윗도리가 마루에 있더라."

하고 개구리가 말했어요.

"내일 치울 거야."

하고 이불 속에서 두꺼비가 말했어요.

"부엌에는 설거지거리가 잔뜩 있던걸."

하고 개구리가 말했지요.

“내일 치울 거야.”

“의자도 먼지투성이던데.”

“내일 치울 거야.”

“유리창도 닦아야 하고

화초에 물도 줘야겠더라.”

“내일 치울 거라니까!

내일 할 거야!” 하고 두꺼비는

소리를 버럭 질렀습니다.

두꺼비는 일어나

침대에 걸터앉았어요.

"휴, 정말 못 살겠다.

기분이 정말 우울해."

하고 두꺼비가 말했어요.

"왜?"

하고 개구리가 물었지요.

"내일을 생각하니 그래.

내일 해야 할 일을 생각하니

할 일이 너무 많아."

하고 두꺼비가 말했어요.

"그래,

내일은 무척이나

힘겨운 날일 거야."

하고 개구리가 말했어요.

"그런데 말이야, 개굴아!
내가 지금 바지랑 윗도리를
치우면 내일은 안 해도 돼,
그렇지?"
하고 두꺼비가 물었어요.
"그럼, 내일은 안 해도 되고말고."
하고 개구리가 대답했지요.
두꺼비는 자기 옷을 집어서
옷장 안에 넣었어요.

"개굴아, 내가 지금 설거지를

하면 내일은 안 해도 돼,

그렇지?"

하고 두꺼비가 물었어요.

"그럼, 내일은 안 해도 되고말고."

하고 개구리가 대답했지요.

두꺼비는 그릇을 씻어서 말린 다음

찬장 안에 넣었어요.

"개굴아, 내가 지금

의자에 있는 먼지를 털고

유리창을 닦고

화초에 물을 주면

내일은 안 해도 돼, 그렇지?"

하고 두꺼비가 물었어요.

"그럼, 내일은 안 해도 되고말고."

하고 개구리가 대답했지요.

두꺼비는
의자에 있는
먼지를 털고

유리창을
말끔히 닦고

화초에 물을
흠뻑 주었어요.

"만세!
이제는 기분이
좋아졌어. 더 이상
기분이 나쁘지 않아."
하고 두꺼비가 말했어요.

"왜?" 하고 개구리가 물었어요.

"할 일을 다 했거든.
내일은 정말 하고 싶은
일을 할 거야."

"정말 하고 싶은 일이 뭔데?"
하고 개구리가 물었어요.

"편히 쉬는 거."

하고 대답하고는

두꺼비는 침대로 갔어요.

두꺼비는 이불을

머리끝까지 올려쓰고는

쿨쿨 잠이 들었답니다.

# 연 날리기

개구리와 두꺼비가

연을 날리러

바깥으로 나갔어요.

바람이 아주 심하게 부는

넓은 들판으로 나갔어요.

"우리 연은 높이높이

날아갈 거야.

높이높이 떠서

하늘 끝까지 갈 거야.

두껍아, 내가 얼레 들고 있을 테니

너는 연 들고 달려."

하고 개구리가 말했어요.

두꺼비는 들판 한가운데로 달렸어요.

두꺼비는 짤막한 다리로

있는 힘껏 달렸지요.

연이 펄럭펄럭 하늘로 올라갔어요.

그러더니 연이 그만 땅으로 툭 떨어졌어요.

두꺼비는 깔깔 웃는 소리를 들었어요.

울새 세 마리가 덤불에 앉아 있었어요.

"그 연은 못 뜨겠다.

그만둬라."

하고 울새들이 말했어요.

두꺼비가 개구리한테 달려왔어요.

"개굴아, 이 연은 못 뜰 거야.

나는 그만둘래."

하고 두꺼비는 말했지요.

"우리 한 번 더 해 보자.

연을 머리 위로 흔들어 봐.

그러면 연이 뜰 거야."

하고 개구리가 말했어요.

두꺼비는 다시 들판 한가운데로 달렸어요.

연을 머리 위로 흔들었어요.

연은 하늘로 올라가기는 했지만

곧 땅에 털썩 떨어지고 말았어요.

"너 정말 웃긴다!

그 연은 절대 못 뜰 거야."

하고 울새들이 말했어요.

두꺼비가 다시 개구리한테 달려왔어요.

"이 연은 웃음거리밖에 안 돼.

절대 못 뜰 거야."

하고 두꺼비는 말했지요.

"우리 다시 한 번 더 해 보자.

연을 머리 위로 흔들면서

위아래로 뛰는 거야. 그러면 뜰 거야."

하고 개구리가 말했지요.

두꺼비는

다시 한 번 더

들판 한가운데로

달려갔어요.

두꺼비는 연을

머리 위로 흔들었어요.

위아래로 경중경중 뛰면서요.

연은 하늘 위로 떴지만, 곧 풀밭에

픽 하는 소리를 내며 떨어졌어요.

"그 고물 연 내버리고 집에나 가라."

하고 울새들이

말했어요.

두꺼비가 다시 개구리한테 달려왔어요.

"이 연은 고물이야.

내버리고 집에 가는 게 낫겠어."

"두껍아, 우리 다시 한 번 더 해 보자.

연을 머리 위로 흔들고

위아래로 경중경중 뛰면서

**'높이 떠라, 연아, 높이 떠!'**

하고 소리를 지르는 거야." 두꺼비는

한 번 더 들판 한가운데로 달려갔어요.

연을 머리 위로 흔들면서

위아래로 경중경중 뛰었어요.

소리도 질렀지요.

**"높이 떠라, 연아, 높이 떠!"** 하고요.

연이 하늘로 날아 올라갔어요.

높이 더 높이 하늘로 올라갔어요.

"우리는 해냈어!"

하고 두꺼비가 외쳤어요.

"맞아, 달리기만 해서는

안 떴을 거야.

달리고, 흔들기만 해도

안 떴을 거야.

달리고, 흔들고

겅중겅중 뛰기만 해도

안 떴을 거야.

달리고, 흔들고, 겅중겅중 뛰고

소리를 지르니까

연이 하늘 높이 난 거야."

하고 개구리가 말했어요.

울새들이 덤불에서 날아올랐어요.

하지만 연처럼 그렇게

높이높이 날 수는 없었지요.

개구리와 두꺼비는 나란히 앉아서

연이 날아오르는 것을 지켜 보았어요.

하늘 끝까지 날아오르는 것 같았지요.

# 떨리는 기분 맛보기

춥고 어두운 밤이었어요.

"나무 사이로 윙윙대는 바람 소리 들어 봐.

유령 이야기 하기 좋은 날이지."

하고 개구리가 말했어요.

두꺼비는 의자에 더 깊숙이 앉았어요.

"두껍아, 겁나고 싶지 않니?

떨리는 기분 맛보고 싶지 않아?"

"응, 그러고 싶어."

하고 두꺼비가 말했어요.

개구리는 따끈한 차를 한 잔 탔어요.

그리고는 의자에 앉아 이야기를

시작했지요.

"내가 어렸을 때 일이야.

어머니하고 아버지하고 나하고

셋이서 소풍을 갔단다. 그런데

집으로 돌아오다가 길을 잃고 말았어.

'집에 얼른 가야 할 텐데,

망태 할아범을 만나지 않으려면.'

하고 어머니가 걱정을 하셨어.

'망태 할아범이 누군데요?'

하고 내가 물었지.

'무시무시한 유령이란다.

밤이면 나와서 꼬마 개구리를 잡아

저녁밥으로 먹곤 하지.'

하고 아버지께서 말씀하셨단다."

두꺼비는 차를 홀짝 마셨어요.

"개굴아, 너 그 이야기 지어 낸 거지?"

"뭐, 그럴 수도 있고

아닐 수도 있고."

하고 개구리가 말했어요.

개구리는 이야기를 계속했어요.

"어머니하고 아버지는

길을 찾으러 가셨단다.

나더러 어머니 아버지가 돌아올 때까지

꼼짝 말고 기다리라고 하셨지.

나는 나무 아래 앉아서 기다렸어.

숲 속이 점점 더 어두워지자

나는 겁이 덜컥 났어.

그런데 커다란 눈 두 개가 보이는 거야.

망태 할아범이었지.

나하고 아주 가까운 데 있었어."

"개굴아, 그거 정말 있었던 일이야?"

하고 두꺼비가 물었어요.

"뭐, 그럴 수도 있고

아닐 수도 있고."

하고 개구리는 말했지요.

개구리는 이야기를 계속했어요.

"망태 할아범은 주머니에서

기다란 줄넘기줄을 꺼내더라.

34

그러더니 이렇게 말하는 거야.

'지금 나는 배가 불러.

맛있는 꼬마 개구리들을

실컷 먹었거든.

줄넘기를 백 번 하고 나면

다시 배가 고파지겠지.

그 때 **너를** 먹어치우겠다!'

하고 말이야.

망태 할아범은 줄 한쪽 끝을

나무에다 묶더라.

그러더니 '자, 돌려!'

하고 소리를 지르는 거야.

나는 망태 할아범이 하라는 대로 했어.

망태 할아범은 한 스무 번쯤 뛰었어.

그러더니 이렇게 말하더라.

'슬슬 배가 고파지는군.'

한 쉰 번쯤 뛰더니 이러더라.

'배가 조금 고픈데.'

아흔 번쯤 뛰더니 이러더라.

'이제는 배가 아주 고픈걸!'

하고 말이야."

"그 다음에 어떻게 됐어?"

하고 두꺼비가 물었어요.

"나는 죽고 싶지 않았어.

줄넘기줄을 잡고

나무 둘레를 빙빙 돌았지.

망태 할아범을

줄로 꽁꽁 묶은 거야.

망태 할아범은

마구 울부짖으며

난리난리치더라.

나는 재빨리 도망쳤지.

나는 얼른 어머니 아버지를

찾아 별 탈 없이 집에 왔단다."

하고 개구리가 말했어요.

"개굴아, 그거 있었던 이야기니?"

하고 두꺼비가 물었어요.

"뭐, 그럴 수도 있고

아닐 수도 있고."

하고 개구리는 말했지요.

개구리와 두꺼비는

난로 가까이 다가앉았어요.

겁이 덜컥 났거든요.

손에 든 찻잔이 흔들리고 있었어요.

떨렸던 거예요.

떨리는 기분은 따스하고

아주 좋았답니다.

# 모자

두꺼비 생일이었어요.

개구리가 두꺼비한테 모자를

선물했어요. 두꺼비는 기뻤어요.

"생일 축하한다."

하고 개구리가 말했어요.

두꺼비가 모자를 쓰자

눈 아래까지 내려왔어요.

"미안해. 모자가 너무 크구나.

내가 다른 걸 줄게."

"아니야, 개굴아.

이건 네가 선물한 거잖아.

이대로 쓰고 다닐 테야."

개구리와 두꺼비는 산보를 갔어요.

두꺼비가 돌부리에 걸려 넘어졌어요.

나무에 쿵 부딪혔어요.

구덩이에 푹 빠졌어요.

"개굴아, 모자를 쓰니까

아무것도 안 보여.

멋진 선물이지만, 못 쓰고 다니겠어.

오늘은 슬픈 생일이야."

하고 두꺼비가 말했어요.

두꺼비와 개구리는

한참 동안 슬펐어요.

조금 뒤에

개구리가

이렇게 말했지요.

"두껍아, 이렇게 해 봐.

오늘 밤 잠자리에 들 때 말이야,

뭔가 커다란 걸 생각해 봐.

커다란 생각이 네 머리를

좀더 크게 할 테니까.

아침이면 새 모자가 머리에 맞을 거야."

"정말 좋은 생각이다."

하고 두꺼비가 말했어요.

그 날 밤이었어요.

두꺼비는 침대에 누워

가장 커다란 것을 생각했어요.

두꺼비는 엄청나게 큰

해바라기를 생각했어요.

키가 아주 큰 떡갈나무를 생각했어요.

흰 눈이 덮인 높은 산을 생각했어요.

그리고는 두꺼비는 잠이 들었습니다.

개구리가 두꺼비 집으로 왔어요.

살그머니 소리 없이 왔어요.

개구리는 모자를 찾아 자기 집으로

가져갔어요.

개구리는 모자에다 물을 조금 부었어요.

개구리는 모자를 따뜻한 데 두어 말렸어요.

모자가 줄기 시작했어요.

모자가 점점 작아졌어요.

개구리는 다시 두꺼비 집으로 갔어요.

두꺼비는 여전히 자고 있었지요.

개구리는 모자가 있었던 자리에다

다시 모자를 걸었어요.

두꺼비는 아침에 일어나서

모자를 써 보았어요.

머리에 꼭 맞았어요.

두꺼비는

개구리 집으로 달려갔어요.

"개굴아, 개굴아!

커다란 생각을 했더니

머리가 커졌어.

네가 선물로 준 모자를

이제 쓸 수 있게 되었어!"

하고 두꺼비가 소리를 질렀어요.

개구리와 두꺼비는 산보를 갔어요.

두꺼비는 돌부리에 걸려

넘어지지 않았어요.

나무에 쿵 부딪히지도 않았어요.

구덩이에 푹 빠지지도 않았어요.

두꺼비 생일 다음 날은

개구리와 두꺼비에게

무척 즐거운 날이었답니다.

# 혼자 있고 싶어

두꺼비가 개구리 집에 갔어요.

문에 짧은 편지가 붙어 있었어요.

이런 내용이었어요.

"두껍아, 안녕? 나는 지금 집에 없어.

밖에 나가거든. 나는 혼자 있고 싶단다."

"혼자 있고 싶다고?

나는 개구리 친구인데

왜 개구리는 혼자 있고 싶을까?"

하고 두꺼비가 말했어요.

두꺼비는 창문을 들여다보았어요.

마당을 살펴보았어요.

개구리는 보이지 않았어요.

두꺼비는 숲으로 갔어요.

개구리는 거기 없었어요.

두꺼비는 들판으로 갔어요.

개구리는 거기 없었어요.

두꺼비는 강으로 갔어요.

거기에 개구리가 있었어요.

개구리는 섬에 혼자 앉아 있었어요.

"가엾어라. 개구리는

분명히 슬퍼서 그럴 거야.

내가 기운을 북돋워 주어야지."

두꺼비는 집으로 달려갔어요.

샌드위치도 만들고

시원한 차도 한 병 만들었어요.

두꺼비는 음식들을 차곡차곡

바구니에 담았어요.

두꺼비는 서둘러

다시 강으로 갔어요.

"개굴아, 나야 나.

네 가장 친한 친구 두꺼비야!"

하고 소리를 질렀어요.

하지만 개구리는

너무 멀리 있어서

두꺼비 소리가 안 들렸어요.

두꺼비가

소리를 지르고

손을 흔들었지만

아무 소용이 없었어요.

개구리는 섬에 앉아 있었어요. 두꺼비를

보지도 못하고, 두꺼비 소리도 못 들었어요.

거북이가 헤엄쳐 지나가고 있었어요.

두꺼비는 거북이 등으로

기어올라갔어요.

"거북아, 나를 섬으로 데려다 주렴.

개구리가 거기 있거든.

개구리가 혼자 있고 싶대."

"개구리가 혼자 있고 싶어하는데

왜 혼자 있게 하지 않니?"

하고 거북이가 물었어요.

"네 말이 맞을지도 몰라.

개구리는 나를 보고 싶어하지

않을지도 몰라.

내가 친구인 게 싫을지도 몰라."

"그래, 그럴지도 모르겠다."

거북이는 섬으로

헤엄쳐 가면서 말했어요.

"개굴아!" 두꺼비가 울먹이며 불렀어요.

"늘 멍청한 짓해서 미안해.

늘 바보 같은 소리해서 미안해.

제발 다시 내 친구가 되어 줘!"

두꺼비는 그만 거북이 등에서

미끄러지고 말았어요.

첨벙 소리를 내며

물 속으로 빠지고 말았어요.

개구리가 두꺼비를 섬으로 끌어올렸어요.

두꺼비는 바구니 속을 살펴보았어요.

샌드위치는 물에 흠뻑 젖었어요.

시원한 차를 담은 병은 텅 비었어요.

"개굴아,

우리 점심밥이 엉망이 되었어.

너 좋아하라고 내가 만들었는데."

하고 두꺼비가 말했어요.

"하지만 두껍아,

나는 기뻐.

정말로 기뻐.

오늘 아침에 일어나

눈부신 햇살을 보자

기분이 좋았어.

내가 개구리여서

기분이 좋았어.

두꺼비 네가 친구여서

기분이 좋았어.

나는 혼자 있고 싶었어.

얼마나 좋은지

혼자 생각하고 싶었거든."

"야, 그거 참, 정말로

혼자 있고 싶을 만하구나!"

하고 두꺼비가 말했어요.

"이제는 혼자 있고 싶지 않아.

자, 우리 점심 먹자."

하고 개구리가 말했어요.

오후 내내

개구리와 두꺼비는

섬에 머물렀어요.

둘은 시원한 차 없이

젖은 샌드위치를 먹었어요.

이 두 친한 친구는

혼자 또 같이 있었습니다.

## 난 책읽기가 좋아

**단계 1**  6 · 7세부터 읽기 시작하는 책

1   **꼬마 곰**   E.H. 미나릭 글 · 모리스 센닥 그림 / 엄혜숙 옮김

2   **꼬마 곰에게 뽀뽀를**   E.H. 미나릭 글 · 모리스 센닥 그림 / 엄혜숙 옮김

3   **꼬마 곰의 방문**   E.H. 미나릭 글 · 모리스 센닥 그림 / 엄혜숙 옮김

4   **꼬마 곰의 친구**   E.H. 미나릭 글 · 모리스 센닥 그림 / 엄혜숙 옮김

5   **아빠곰이 집으로 와요**   E.H. 미나릭 글 · 모리스 센닥 그림 / 엄혜숙 옮김

6   **꼬마 돼지**   아놀드 로벨 글 · 그림 / 엄혜숙 옮김

7   **말썽꾸러기 로라**   필립 뒤마 글 · 그림 / 박해현 옮김

**단계 2**  초등 학교 1 · 2학년을 위한 책

1   **개구리와 두꺼비가 함께**   아놀드 로벨 글 · 그림 / 엄혜숙 옮김

2   **개구리와 두꺼비의 하루하루**   아놀드 로벨 글 · 그림 / 엄혜숙 옮김

3   **개구리와 두꺼비의 사계절**   아놀드 로벨 글 · 그림 / 엄혜숙 옮김

4   **개구리와 두꺼비는 친구**   아놀드 로벨 글 · 그림 / 엄혜숙 옮김

5   **우리 엄마한테 이를거야**   베아트리스 루에 글 · 로지 그림 / 최윤정 옮김

6   **수영장 사건**   베아트리스 루에 글 · 로지 그림 / 최윤정 옮김

7   **폭죽 하계회**   베아트리스 루에 글 · 로지 그림 / 최윤정 옮김

8   **우리 아빠가 제일 세다**   베아트리스 루에 글 · 로지 그림 / 최윤정 옮김

9   **머리에 이가 있대요**   베아트리스 루에 글 · 로지 그림 / 최윤정 옮김

10   **이제 너랑 절교야**   베아트리스 루에 글 · 로지 그림 / 최윤정 옮김

11   **수학은 너무 어려워**   베아트리스 루에 글 · 로지 그림 / 최윤정 옮김

12   **내 남자 친구야**   베아트리스 루에 글 · 로지 그림 / 최윤정 옮김

13   **떠돌이 개와 4ㅁ개의 보물**   후안 피리아스 글 · 아르까디오 로바또 그림 / 박숙희 옮김 ★

14   **숲은 어떻게 만들어지는가?**   윌리엄 제스퍼슨 글 · 척 에커트 그림 ★

15   **생쥐 이야기**   아놀드 로벨 글 · 그림 / 엄혜숙 옮김